용이 비를 내리는 나라

3부
1

글·그림 **썸머**

D&C
WEBTOON BiZ

차 례

1화

드디어
그쳤다…

비 때문에
꼼짝을 못 한 게
벌써 며칠째지?

슬슬 앞으로
어떻게 할지
생각해야…

앗….

스우.

왜 벌써
일어났어···.

더 자자···.
일어나면
배고파져···.

악!! 어깨뼈
부러져요!!

그리고 뭔 한가한 소리예요! 이 틈에 빨리 나가서 뭐라도 먹을 걸 찾아야지!

꽝!

악!!

아파! 왜 때려?!

그리고 갑자기 잡아당기지 말라고 몇 번을 말해요?

이러다 진짜 언제 한번 뇌진탕 올 것 같다고요.

스우 변했어…. 원래 더 다정했는데.

참 나, 눈 뛰어나올 정도로 변한 게 누군데.

12

누가
할 말을….

으응….

하….

아침 식사.

좋은
아침이네,
스우.

인간들은 이렇게 인사하던가?

끄옥

왜 나는 이 정체 모를, 수상하기 짝이 없는 남자를 밀어내지 않는지.

이제는 스스로도 모르겠다.

이 풀이 원래 이렇게 생겼었나?

스윽! 스윽!!

사으슥

여기 나무 열매. 이거 줍는 거지?

수북♡

이렇게 많이 어디서 찾았어요?

아니야, 사실은 안다.

15

혼자가 괴롭고
힘드니까 그렇지.

아~ 해 봐,
스우.

아….

나단도 옛날에
그런 말을 했었어.

나는 원래
그럴 때 옆에
있어 주는 사람을
좋아했으니까.

스우는 나를
좋아하는 게
아니야.

스우는 자신을
구해 줄 수 있는 사람이
필요한 것뿐이야.

결국 나는
아무라도
좋은 거야.

그때는
부정했는데
맞는 말 같아.

나는
쓰레기니까.

나단은…

정말로
죽었을까?

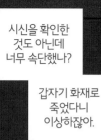

시신을 확인한
것도 아닌데
너무 속단했나?

갑자기 화재로
죽었다니
이상하잖아.

왜
죽은 거야.

왜 내가 원하는 건
다 나한테서
벗어나는 거냐고.

언제까지
이렇게….

18

내가,
지켜 주마.

다
떨어뜨렸어.

내가 준 거
맘에 안 들었어?

스우.

아, 맘에
안 드는 게 아니고
잠깐 멍해서….

내 앞에서
자꾸 다른
생각하지 마.

스우한테도
좋을 게 없을걸?

신관
견습생인가?

행색이나 말투가 평민 같지는 않은데.

황명이라면 귀족 자제인가?

…설마.

의사와 상관없이 강제로 희롱을 당하고 계시는 겁니까?!

그쪽의 공자!! 이국인이 제국법상 자신을 방어하기에 불리한 점이 있다 하여 쉽게 희롱해선 안 됩니다!!

뭐어??

응? 아니, 아니…요. 그런 건 아니고….

아니, 아무튼… 생각하시는 그런 건 아닙니다.

알고 지내면서 의지하는 분이에요.

그럼 ※상친상애하는 분들이시군요!

큰 오해를 했습니다. 사람을 잘못 본다고 평소에 자주 듣거든요….

이상한 애다….

그런 게 아니라면….

※상친상애(相親相愛): 서로 아끼고 사랑하다.

아, 그렇게 보이나?

맞아. 스우랑 나는 상친상애하는 관계야. 그야말로 ※영결동심이지.

※영결동심(永結同心): 영원히 한마음 한뜻이다.

외람되오나 신분의 차이가 있어 보이는데 두 분 정말 각오가 대단하십니다!!

거들먹

그딴 건 인간들이나 신경 쓰지. 나랑 스우랑은 관계없는 일이야.

세상에, 이렇게… 강건하실 수가!!

비가 오고부터 라한 각지의 질서와 법령이 무너져서…

혹시나 하여 오해했습니다.

…그것들이 비가 온 것과 어떤 관계가 있나요?

어떤 관계가 있냐요?

정말 몰라서 물으시는 겁니까?

며칠간
이유를 알 수 없는
강한 독성의 비가
퍼붓는 바람에
라한에 천벌이 내리지
않았습니까.

제도를 포함하여
빗물이 흘러들어 간
모든 수도 시설이
폐쇄되고,

전 지방의
신관들이 총동원되어
정화에 힘쓰고
있습니다.

몇몇 지방에서는
원인을 알 수 없는
전염병이 창궐하여
요 며칠간 죽은 사람만
천이 넘을 것입니다.

평범한
산짐승들 또한
마라로 변하여서…

주술적인 힘이 담긴
비가 아닐까 하여
조사 중입니다.

많은 신관들이
애쓰고 있으나
아마 앞으로 올 기근을
피할 수는 없겠지요.

왜?

쓸꺽…,

하…,

하지만 비는 귀비마마께서 기우제를 올려 내린 것이 아니었습니까.

비 때문에 전혀 소식을 전해 듣지 못하신 모양이군요.

귀비마마께서는 이 일로 완전히 실각하셨습니다.

자격 없는 자가 기우제를 올려서 하늘을 노하게 만든 것이라고요.

그 귀비가
실각을.

…실각.

물론 소가(家)의
세력이 대단했던 만큼
완전히 몰락하신 것은
아닙니다.

출산은 무사히
치르셨거든요.

그 난리 통에도
무사히 황자를
생산하셨으니
실로 대단한
여인이십니다.

시끄러우니
저리 치워라.

응애

응애

…태어났다고?

흐음…
그럼 황좌는
어떻게 됐—

텁!

그렇군요!
저희가 비 때문에
산중에서
오도 가도 못해서
전혀 몰랐습니다!

그런데,
소공자께서는
어쩐 일로….

꼬옥♡

아!
그것이,

저는 순례 중인
수행자이온데
황명으로 사람을
찾고 있습니다.

어디 보자….

혹시 이런 분!
보셨습니까?!

이거
나 아니야?

이거
스우야?

특징은 이국인이나
라한 말을 능숙하게
한다고 하고….

이름은 스우,
눈동자 색은
연한 녹색이고
밀색 머리카락에….

33

설명이 흡사하여
처음에는 그쪽이
혹시 이분이 아닌가
하였는데

그쪽 분과
백년가약을 맺고
부부로 사신다고 하니
또 제가 사람을
잘못 봤구나, 했답니다.

백년가약?

저기, 그렇게까지
말한 적은 없는 것
같은데….

스우랑 나는
만년가약이야.

고작 백 년을
누구 코에 붙여?

금슬이 좋으셔서
보기가 좋네요.

사람을 못 보는 건지
편견이 없는 건지….

그, 그러게요….
저랑 닮아서
놀랐습니다.

실례지만…
이분은 지금 죄인으로
수배령이 내려져
찾고 계신 건가요?

**죄인이라니요!
당치 않습니다!!**

기우제로 황궁에
큰 혼란이 있던 사이에
실종되셨는데⋯

태자 전하께서 무척
귀히 여기시는 분이니
하루빨리 찾아
지켜 드려야 한다고
하셨어요.

보호⋯

사실은
귀비가 실각했다고
듣게 된 순간부터

그 남자는
어떻게 지내는지
묻고 싶어서
미칠 것 같아.

…태자 전하께서
귀히 여기신다니,
무척 복이 많은
분인가 보네요.

알고 싶은데,
알고 싶지 않아.

두 번 다시 만나고 싶지 않아.

예. 그도 그럴 것이 스우 님께서는,

라한 신궁의 새로운 궁주가 되실 분이라고 하니까요

?

네?!?!

2화

잠,

잠깐만요.

지금 제가 뭘
잘못 들은 것 같은데,
무슨 주요?

궁주라고
말씀드렸습니다.

전 궁주께서
병으로 돌아가시고
그 자리가 오랫동안
비어 있지 않았습니까?

진수련….

이 인간 대체….

대체 뭔 생각을 하고 있는 거야?!

…전하.

전하!

낙마하고 싶으신 겁니까,

여기까지 왔는데 제발 참아 주십시오.

아….

순행도 좋지만 부디 제발 좀 보중하십시오!!

시끄럽다. 그보다 아직도 소식이 없는 것이냐?

비가 내려 신성력이나 마력이 높은 자들 외에는 이동이 쉽지 않다 보니… 수색이 늦어지는 듯합니다.

여전히 전하의 정통성에 대해 이의를 제기하고 있습니다.

소창천은 어떻지?

선황께서 생전에 남기신 성지의 존재를 들먹이면서요.

또한 선황께서 붕어하신 그날 밤 선황을 사십 년이나 모신 이 태감이 흔적도 없이 사라졌는데,

아마 귀비궁에서 성지의 행방을 캐내려 납치한 것이 아닌가 싶습니다.

…귀비가 초조하긴 한가 보군.

선황의 측근을 납치하다니, 정말 보통은 아닌 인간입니다.

폐하의 성정에 작정하고 숨기신 것이니 소창천도, 나도 그리 쉽게 찾을 수는 없을 것이다.

그 성지는 아마 끝까지 발견되지 않을 확률이 더 높아.

43

문제는
갓 태어난
황자야.

마마.
방금 이 태감이
숨을 거뒀다고
합니다.

쯧,
단 이틀 고문도
버티지 못하다니….
수확은 있었느냐?

아뢰옵기
송구하오나…
성지의 행방을 정말
모르는 기색 같기도
하였습니다.

이놈이고 저놈이고
이딴 식으로 손쉽게
죽어 나자빠지다니.

이렇게 된 이상
내 자식에게도
권능이 있음을 알리고
전면전으로 나가는 수밖에
없겠어.

스우는
끝까지
추적해라.

죽인 뒤
비단에 곱게 싸서
태자에게 선물로
보낼 것이니.

걱정 마십시오
제도 가까이 있는 상단은
모두 매수해 두었으니
곧 소식이 올 것입니다.

절대 쉽게
죽여 주지 않을
것입니다.

믿고
있겠다.

한데,

45

저것은
어찌할까요?

일단 두렴.

필시 쓸모가
있을 것이다.

이 라한에
곧 새로운 궁주께서
바로 서신다니,
생각만 해도
기대되지 않습니까?!

분명히 이 천벌도
누그러뜨려 주실 것이고,
백성들의 삶도
좋아지겠죠!

궁주께서는
자리에만 계셔도
유사시 큰 위안이
되니까요!!

흐으음—

하하하….

궁주

이제는
존재하지 않는
용을 대신하여
가문 땅 위로
비를 내리고

천명을 구해
황제를 보좌하는
위대한 제사장이자
대신관.

황제와 동등히
자리할 수 있으며

그가 거하는 신궁은
황제라 할지라도
감히 함부로
출입할 수 없다.

원래,
궁주는 인간을 칭하는 말이 아니었어.

신궁 자체가 용소(龍沼)의 역할을 위해 지어진 거거든.

…….

따라서 신궁의 주인도 당연히 용이었기 때문에,

궁주란 호칭은 용을 뜻하는 것이었지….

인간들의 경외를 받기 위해 하늘에 닿을 정도로 높게 지었지만,

본질은 용이 잠들어 있는 지하의 샘이야.

거기까진 몰랐습니다….

모르는 게 당연하지. 용이 있던 시대의 인간들이라면 벌써 일곱 번은 죽었을 테니.

신궁에 대한 정보는 라한의 명문인 십이세가에도 잘 알려져 있지 않은데….

…실례지만 어느 가문의 자제십니까?

관록이 한참이나 부족한 제 눈에도 범인이 아니신 것 같습니다.

저는 혼가의 계자, 혼중아라 합ㅡ

아!!

아무튼 저희는 그쪽의 공자께서 찾으시는 분을 뵌 적이 없는 것 같습니다.

황명을 받드신다니 공자의 순례가 무탈하길 바라며 이만 물러나겠습니다!

아….

땅!

수련이
스우를 궁주로
만들려나 봐.

아아악!
말하지 마세요!!

미친 거 아니야?
내가 왜!! 어떻게,
무슨 자격으로
궁주가 돼?!

저는
라한 사람도
아니라고요!!

자격이라면
충분하지.
스우는 나의
분신이니까.

수련은 싫지만
나도
같은 생각이었어.

…무슨
소리예요?

나는 황궁으로
돌아갈 마음이
없어요.

애초에 황궁에
들어간 건

돈을 벌기 위한 것
그 이상도 이하도
아니었고,

나단이….

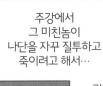
주강에서
그 미친놈이
나단을 자꾸 질투하고
죽이려고 해서...

귀비에게
의탁할 겸
입궁했었지.

이제 와서는
다 소용없는
일이지만.

기껏
모아둔 돈도
두고 올 수밖에
없었고.

나단도 사라졌고,
편리한 생존 수단이던
귀비의 신임도 잃었다.

그리고,

그리고….

그리고 나는 태자 전하도 두 번 다시 만나고 싶지 않아요.

궁주니 뭐니… 정치적인 일에 이용당하고 싶지도 않고요.

…그래?

그래, 그럼. 그렇게 해! 스우 마음대로.

내가 도와줄게.

…정말요?

꼬옥♡

그럼, 정말이지.

스우는 마음이 약해서,

57

배가 고파도 인간은 먹지 못할 테니까.

내가 스우 몫만큼 대신 먹어 치워 줘야지.

내가

이 남자처럼 뭔가 변해 가고 있다는 건 알아.

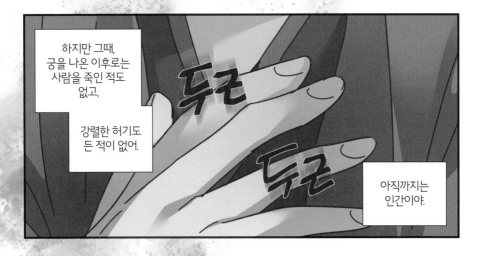

하지만 그때, 궁을 나온 이후로는 사람을 죽인 적도 없고,

강렬한 허기도 든 적이 없어.

두근

두근

아직까지는 인간이야.

아직까지는
여지가 있어.

그러기
위해서는…

적절한 시기에
이 남자한테서도
벗어나야겠지.

나는 인간이고,
인간으로 살 거야.

계십니까?!

저기!! 비가 와서 다시 고립되면 식량도 구하기 힘드실 텐데요!

혹시 두 분, 괜찮으시다면 저와 함께 가까운 마을로 이동하지 않으시겠습니까?!

콰 콰쾅!

타지에 계실 다른 친지분들 소식을 알기도 쉬울 테고요!

그리고 이번 비로 인해 이런 산중에는 도적 떼가 더욱 횡행한다 합니다!!

제가 마을까지 안전하게 안내해 드리겠습니다!

남들도 당연히 가족이 있을 거라 생각하는 걸 보니 확실히 도련님이군.

하지만 언제까지 여기에 처박혀 있을 수도 없어.

애초에 빈집을 무단으로 점거한 것이었으니….

그 마차에서
깜빡 잠들었다가
눈을 떴을 때,

이미 이 집에
누워 있었지.

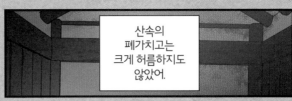

산속의
폐가치고는
크게 허름하지도
않았어.

난로에
불도 제대로
붙어 있었고…

타닥…

탁…

따뜻했다….

이 남자가
없었으면
죽었겠지.

거기서 다시 일을 구해서 여비를 만드는 게 좋겠어요.

여비?

하지만….

이 김에 마을로 내려가는 건 좋은 생각인 것 같아요.

언제까지고 여기 있을 수는 없으니까….

네. 지금 우린 돈이 한 푼도 없잖아요.

그… 소공자님?

함께 마을로 떠날 채비를 할 테니 밖에서 조금만 기다려 주시겠어요?

네! 알겠습니다! 잘 생각하셨습니다!!

여비라면…

이런 거
말하는 거야?

와

르르

쩌

억

더!!
해 봐요!!!

더 해
달라고!!!

앗…!
스우, 그렇게
잡고 흔든다 해서
잘 나오는 게 아니…

?

뺄 때는 요령이
있어야 된다구.

빨리 더
해 달라고요!!
이 정도로는
만족 못 한다고!!

앗, 스우,
그만…!

트ㅓ

컹!!

부, 부부간에
합의되지 않은 관계도
죄를 짓는―!!

부자!!

처ㅓ억

안 돼!!
한 푼도
못 드려요!!

64

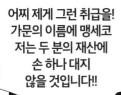

어찌 제게 그런 취급을!
가문의 이름에 맹세코
저는 두 분의 재산에
손 하나 대지
않을 것입니다!!

그리해서,

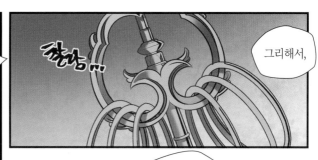

쨍그랑...

그, 그렇다면
다행이지만….

저를 모욕한 것을
사과해 주십시오!!

미, 미안해요.

이 재물을 전부
짊어지고 가시기엔
도적이나 강도의
표적이 될 수 있어
위험할 것 같은데….

차라리
집 어딘가에 숨기거나
땅속 깊이 묻어 두고
추후에 일이 진정되면
다시 오시는 건
어떨까요?

정말 귀한 것만
몇 개 챙기시고요.

진정하고
돈 쓸어 담는 중

다…
다 가져가고
싶은데….

수천 배 정도
더 있으니까
올지 마, 스우.

이런 산중에
이 정도 금은보화가
있으리라곤 누구도
상상 못 할 겁니다.

걱정은
안 하셔도….

꾸역

꾸역

힐쩍

그럼 금화 몇 개랑…
쉽게 바꿔 먹기 좋은
보석 몇 개만…

철컹철컹

?

이것만 주술로
봉인되어 있네요?

봉인?!
다른 진귀품들도
그냥 널려 있는데
이것만?!

흥분

그럼 이게 여기서
제일 귀한 것이란
뜻이죠!!

열어 볼까요?!
이 육환장을 사용하면
어지간한 봉인은—

응?

열렸는데?

와아,
금색 자수로 된
표지라니,

꼭
황제 폐하의
성지 같다….

그러게요~.

이건 황제 폐하의
성지가 아닙니까?!

그렇다면 혹시
스스스스스우 님이
스우 님인 게ㅡ!!

혹시가 아니고
역시여야 하는 거
아니야?

툭..

우 떼굴…

사하라 님!
시끄러워요!!

3화

…이건,

성문으로 쓰였네요…

황실의 인장이 찍혀 있으니, 폐하의 성지임에는 틀림없어 보입니다만…

범인인 저로서는 감히 뜻을 알 수 없는지라 부디 궁주께서…

그러니까! 난 궁주가 아니라고!!

앗!!

스우 님이
아니시라면
누구란 말입니까?!

이 혼중아!!
스우 님을 눈앞에서
못 알아볼 정도로
바보가 아닙니다!!

아까는
못 알아봤잖아!

그때는 라한의
궁주 되실 분이라기엔
행실이 문란하고, 난잡하고,
음탕해 보이셔서….

뭐?!
언제는 상친상애라
보기 좋다며!!

그리고 아무리
궁주 되실 분이라도
폐하의 성지를
내팽개치시다니!!

불경죄입니다!
다시는 이와 같은 일이
없도록 해 주십시오!!

야, 너
몇 살….

…무슨
내용이기에
그러십니까?

혹시 두 분 다
성문을 이해하신단
말씀이십니까?

어떻게….

거기…
누구십니까?

여기는 저희
양친이 살고 계신
집입니다만….

손님이십니까?

거동이 불편하셔서
비가 그친 틈에
모시러 왔는데….

아. 마침
잘됐다.

아찌…

아이들도
있었는데….

어찌 이런
극악무도한 처사를
하신단 말입니까…?

이건
마라와도 같은 짓이
아닙니까!!

…그런 건가?

하지만…

순간 느껴지는
포만감에

기분이
좋았다.

이제야
몸에 피가
흐르는 것 같아.

인간이라면…

이러면
안 되는 건가?

원래는
어땠더라?

─하여,

어찌하면 좋을지
전하께서 명을
내려 주십시오.

…전하.

전하,
듣고 계십니까?

그래. 듣고 있다.
소가에서 막대한
돈을 풀어 난민들을
구명하고 있다고.

폐하께서
붕어하셨단 사실도
당분간은 이대로 함구하라.
안 그래도 나라가
혼란스러우니.

듣고 계시니
다행입니다만….

…저한테.

저한테….

뭐였을까,

…순행도 계속한다.
지금은 피해 지역을
재건하는 것이
급선무이니.

그다음은.

—까지 그럴 필요는 없잖아요!

깜짝 놀랐네!!

뭐지…?

그치만 나만 빼놓고 스우랑 재미있어 보여서 계속 기분 나빴어.

…그래도 이왕 이렇게 된 거 성지를 몰래 애 짐에 섞어서…

…잠깐. 태자 쪽 인간이 확실하겠죠?

글쎄, 인간은 잘 변절하니까.

갑자기 의식이 흐려진다….

아니 그럼—

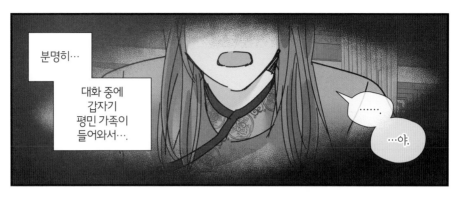

분명히…

대화 중에
갑자기
평민 가족이
들어와서…

……

…야.

중아야!
정신이 드느냐!!

이 형님을
알아보겠니?!

어…?

…형님.

대체 제가
왜….

태,

태자 전하!!

벌써 일주일이나
깨어나지 못하고
있었단다!!

와 락!

이 형님은
네가 꼭 어떻게
될 것 같아서…!

태자 전하를 뵙습니다!!

중아야, 무리해서 일어나지 마렴.

불쌍하게도, 목도 잔뜩 쉬었구나.

희건, 너 내일은 복귀해.

예, 전하. 베풀어 주신 은혜에 감사드립니다.

의식이 돌아왔다면 되었다.

무슨 연유인지는 모르겠지만 네 형님을 너무 걱정시키지 마라.

형님, 어찌 전하께서….

네 전서구와 연통이 끊겨 내가 걱정이 되어 사람을 보냈다!

아니나 다를까 너 혼자 산중 폐가에 피를 흘리며 쓰러져 있더구나!!

전하께선
네가 도통 깨질 않아
친히 상태를 보시기 위해
왕림하신 것이야!

대체 무슨 일이
있었던 거냐?!

뭐 대단한 일이겠어?
도적한테 당한 거겠지.
사내자식이 약해
빠져가지고는.

그것이···

분명
스우 님께서···.

뭐?

…예, 예! 스우 님과 우연히 산중에서 마주쳤습니다!

잠깐, 전하. 정말 스우 님인지 중아의 말로만 확신할 수는 없습니다.

중아는 귀엽기만 하지 바보이기 때문에.

네가 스우를 봤단 말이냐?

형님!! 어찌 그런 말씀을!!

제가 스우 님을 한눈에(?) 알아뵈었는데 정작 스우 님께선 극구 부정하시면서 떨쳐 내려 하셨습니다.

그러다 예기치 못한 일이 생겨서 언쟁 중에….

앗!

앗!
이런 누추한 곳까지
태자 전하께서
어쩐 일이십니까?!

전하?!

짝!

빠—악!

졸렬

스우 님께 속아서
뒤통수를 후려 맞고
기절하고
말았습니다…

…스우가
맞는 것 같군.

하지만 저를…
살리려 하셨던 것
같습니다….

스우 님의 일행인…
어딘가 인간 같지 않은
그 남자가
저를 죽이려 해서

스우 님께서
그 전에 먼저
손을 써 주신 것
같습니다.

중아야!!
혹시 스우 님으로
의심되는 인물이 있거든
이 형님께 전서구로 위치만
알리라 하지 않았느냐!

위험한
일이라고!!

저도
그러려 했는데!!

91

그 무도한 자가 대낮부터 아주 스우 님을 뱀처럼 휘감아 쪽쪽 빨고 못살게 굴고 있었단 말입니다!

그래서 끼어들었는데 또 서로 상친상애하는 사이라 하셔서….

중아의 눈으로 본 사하라와 스우

저는 아주 둘이서 살림이라도 차리신 줄—

쉿, 쉿.

…건강은
어때 보이더냐?

아…
특별히 활기가
느껴지진 않았으나,
병색 또한
보이지 않았습니다.

재물을 눈앞에
두었을 때만큼은
생기가 넘쳐
보였습니다.

그래.

이동 경로를
파악하여
추적을 계속해라.

아, 한데.

스우 님께서
황제 폐하의 성지를
가지고 계셨습니다.

내용은 성문이라
알 수 없었으나…
확실합니다.

그래도 피난민 행렬에 우연히라도 합류할 수 있어서 다행이다.

이 산만 넘으면 된다니. 모레 낮에는 마을에 도착하겠지….

거기서 정보를 좀 모은 다음에 채비를 더 해서 이동하면 되려나….

스우, 추워?

추우면 스우도 저기 불 옆에 가서 앉아.

사하라 님은 가서 앉고 싶으면 앉아요.

전 괜히 가까이 갔다 뭐 하나라도 없어지면 제가 훔쳤다고 다 같이 난리를 칠걸요.

그럼 죽이면 돼.

그렇게
맘에 안 든다고
다 죽여 버리면
마을까지
어떻게 가요?

실제로
그 집을 나와선
이틀 동안이나
산에서 같은 곳만
빙빙 돌았잖아요!

나는
스우랑 함께라면
헤매는 것도
좋아해.

하지만…

인간들은 스우를
별로 좋아하지
않는 것 같네.

이런 상황에
저 같은 이국인을
대놓고 배척하지
않는 것만으로도
감지덕지예요.

그리고 라한어
못 하는 척하고 있으니까
사하라 님도 저한테
라한어로 말 걸지
마세요.

쿵♡

그럼 스우는
내가 따뜻하게
해 줘야겠다.

자기를 싫어하는 인간들 틈에 자꾸 섞이려고 하잖아.

지금도 그렇고.

난 스우를 좋아하지만 가끔은 스우를 이해 못 하겠어.

정작 스우도 인간들을 별로 좋아하는 것도 아니면서.

…그러게요. 왜일까요?

왜야? 생각해 봐.

그래도 혼자보다는 집단 안에 있는 게 이득이라고 생각해서… 그래서 그런 걸까요?

나한테 물어보는 거야?

……,

그래서 내가
며느리한테….

하하하하,
자네도 참.
아들 내외한테
관심도 많지.

내 자식한테
내가 관심을
안 가지면
누가 가져?

손주가
딱 둘만 더 생기면
좋을 텐데.

죽고 나서를
생각하면—

하하하하하…

다들
이런 상황에서도
즐거워 보이네…

슬슬
일어나야…

스으으

저기,

토끼를 잡아서
끓인 건데
한 그릇 드세요.
어제부터 아무것도
못 드신 것 같던데.

…아,
라한 말을
못 하셨던가요?

아니…

두 분이셨네요?!
너무 한 덩어리로
보여서….

어쩌죠?
딱 한 사람 양밖에
남지 않았는데….

잡내 나…
차라리 토끼를
생으로 먹는 편이
더 맛있겠는데.

그냥 받아서
고맙다고 해요.

먹으려고?

입맛만
버릴 텐데.

하하, 재밌는
분이시네요.

곧 출발한다 하니
서두르십시오.

**쿄맙씁니다,
콩쟈.**

?

라한 말
잘하시네요.

하지만
스우가 받겠다니
이리 줘 봐.

아….

스우,
배고팠어?

입맛은 없는데…
먹을 게 있을 때
뭐라도 먹어야죠.

이런 상황에
남을 만큼
음식을 했을 리가.

본인 걸
내준 거겠지.

나단 같은
인간이네.

오랜만에
본다.

꿀꺽
꿀꺽
꿀꺽
꿀꺽...

와~ 스우,
대단해!!

길이
험한 건 아닌데
계속 걸으니까
지치긴 해….

오늘만 무사히
지나면 되려나.

말을 못 하니
지루하기도
하고….

스우.

마라
본 적 있어?

마라…? 아니요?
그거 국경 같은 데나
있는 거 아니에요?

네?

짐승이나
사람에게 나타나는
광증 같은 거라고
예전에 들었어요.

가회가
말했었나?

가죽이 두껍고,
엄니 같은 게 크게
진화한다고…
오염된 땅에서
생겨난다고요.

전 → 후

맞아.
근데 갓 생겨난 마라는
눈이 붉고 본래보다
덩치가 조금 부푼 정도라
구분하기 힘들어.

허어….

마라로 변하면 허기를 강렬하게 느끼기 때문에 막 태어났을 때가 제일 사나워.

뭐든 먹어서 변화한 육체에 맞게 힘을 채워 놔야 하거든.

인간한테도 감염된다고 하던데, 그럼 인간도 마찬가지인가요?

그래.

왜

지금 나한테 이런 이야기를 하는 걸까.

조심하십시오!!

늑대입니다!!

잠깐,
왜 눈이 붉지?

숨을 쉬는 것도
어딘가 이상—

크릉...

뭣?!
늑대는 무리를 지어
다니는데—!

마, 마라다!
저건 마라야!!

—!!
알고 말 꺼낸 거 맞죠!
어떻게든 해 봐요!

내가?
왜?

왜라니,
아무 죄도 없는 인간들을
굳이 늑대 밥으로
만들 필요가
뭐가 있어요?!

그나마도
스우가 배신당해서
대신 복수해 준 건데.

…그건….

하지만
이렇게까지
큰일이 될 줄은….

아무튼!
이 사람들은
귀비나 태자랑
아무 상관도
없다고요.

밥도
얻어먹었는데
그냥 좀
도와줘요!

~귀찮아!
내가 왜!!

스우는 다 좋은데
배우는 게
너무 느려.

뭐, 좋아.
이것도 스우가
원한다면.

흙을 밟고 사는
비천한 자들아.

이 몸이 기꺼이
가르침을 주마.

두 번
말하지 않을 테니
잘 들어라.

인간이 마라를
피하는 법 세 가지를
알려 주지.

하나. 가장 쉬운 건 마라의 단단한 가죽을 뚫고 단칼에 목을 벨 수 있는 무인을 호위로 대동해 다니는 것.

또 하나. 주술사나 신관을 한 명은 대동해 다니는 것이다.

이들은 존재만으로 부적과 같아 마라와 조우할 확률 자체를 낮춰 주고 그 기운을 약하게 하지.

그럴 돈이 어딨어?! 지금 장난하나!

…공자! 우리 같은 평민들이 어떻게 그런 귀한 분들을 모실 수 있겠습니까.

그리고 남은 하나는,

도망치는 것을 우선으로 쫓는 마라의 본능을 이용해

이중에 다리가 빠른 자 하나를 뽑아서 반대 방향으로 무작정 달리게 하는 거지.

어쨌든 그러면 죽는 건 한 명으로 끝날 것 같군.

자, 희생의 미덕을 아는 자가 있다면 그 선 밖으로 나서라.

내 직접 그 기개를 칭찬할 것이다.

남겨진 자들은 내가 주술로 보호할 테니 염려할 것 없다.

하나, 일단 선 밖으로 나오면 물러 주지 않을 테니, 신중하게 나서도록.

머, 멀리 달리기 위해선 일단 젊어야 할 것 아니오?

…저, 저는 아내가 며칠 전에 출산을 해서….

공자, 마라의 습성을 잘 아시는 듯한데 다 같이 맞서는 것은 안 되겠습니까?

분명 힘을 합하면—

말도 안 되는 소리!!

말이 되는 소리를 하시오!
여기 있는 자들 대부분
농사만 짓고 살았는데!

검을 어떻게
쥐는지도 모르고,
무기가 있지도 않소!

심술부리긴⋯

안 되겠다.
가서 다시⋯.

…이렇다니까.

인간들이란.

4화

창피하다….

꽉‥

쥐가 고양이
생각한단 꼴이
이거잖아.

이… 이게
무슨 짓입니까?!

자기가 살자고
다른 사람을
사지로 내몰다니!!

누굽니까,
대체?!

내몰다니…
난 또 스스로
나선 줄 알았지.

저쪽 주술사 분께서
선 밖에 나온 자는
물러 주지 않는다고
하여서 안타깝지만…

언제부터
저런 이국인이
행렬에 있었어?

이 공자는
라한 말을 못 합니다!
그런데 어찌 앞으로
나선단 말입니까?!

그리고 누가 봐도
떠밀린 듯 부자연스러운
모양새였는데요!

누군지 어서 나와서 사과하세요!!

어떻게 누구라고 특정하겠어?

속으로는 전부 같은 생각이었을 텐데.

하나같이… 언제나 나는 죽어도 된다고 생각하지.

나는 같은 나라에서 태어난 것도, 같은 말을 쓰는 것도, 생김새가 같은 것도 아니니까.

라, 라한 말을….

하지만 그건 나한테도 똑같아.

당신들도 나와 아무런 관계없는 사람이라고!!

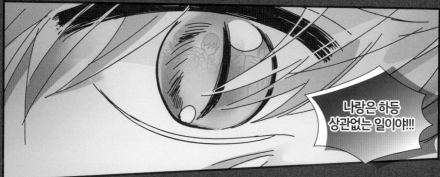

가족이 몇이든, 며느리가 누구든, 손주를 몇 뒀든, 아내가 출산을 앞뒀든!

나랑은 하등 상관없는 일이야!!!

으아아악!!

스우?

마을 가는 길
알아요?

저것들이 먹느라
정신 팔렸을 때
이동해요.

아, 알지만…
압니다만….

말할 줄 아는 걸
숨긴 건 미안해요.
다 이유가 있어서—

…너,

썽윰…

죽이지 마.
길 안내할 사람이
하나는 있어야
되니까.

스우한테서
비키지 않으면
죽이겠어.

수떡!

됐어.
나 혼자
일어날 거야.

허튼짓하면
죽일 수도
있어요.

예, 예…

…잠깐…

스우, 설마…

지금 나한테 화내는 거야?

왜? 난 잘못한 것도 없는데.

저 인간들 때문이야?

…어떻게,

저 남자가 사해 너머 공용어를 쓸 수 있는 거지?

아니, 구름도 조종하는데 이깟 건 문제도 아닌가.

스우가 상처받기를 기다리고 있었다고? 내가?!

애초에 저 인간들을 도와주라고 부탁한 건 스우였잖아!!

스우가 상처받았다면 상처 입힌 건 내가 아니라 저 인간들이야!!

마라한테 뜯어 먹혀 죽은 것만으로 성에 안 차는 거라면, 내가―

나는 그런 걸 바라는 게 아니야!!

나는 그런 걸 원하는 게 아니야….

127

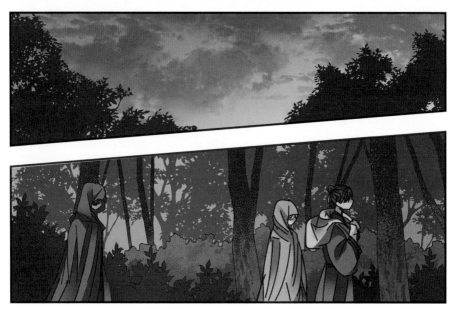

이런…
날이 심상치 않은 것
같습니다.

이동 중에
비를 만나면 큰일이니,
근처에서 비를
피할 곳을 찾아
야영하는 게 좋겠어요.

…하늘이
아까까진
멀쩡했는데.

제가 다녀올 테니
일행 분과 대화 좀
나누시는 게
좋겠어요.

그럼 주변을
적당히
살펴서….

무슨 일인지는
모르겠습니다만…
화해하세요….

…그렇게 토라졌단 티
팍팍 내지 말고
빨리빨리 좀 걸어요.

—사,

사하라 님…?

어떻게 스우가
나한테 그렇게
말할 수 있어?

어떻게?

내가 잘못한 게
뭔데?

스우, 지금
진심으로
하는 소리야?

어쩐지 이상하다 했어.
작지도 않은 집안이
하루 만에 망한 게….

스우가 창천 아가씨께
주인 나리를 고발해서
그렇게 된 거라면
앞뒤가 맞아.

스우는
계속 주강으로
옮겨 가고 싶어
했으니까….

왜 그랬어?!
귀주 나리는
우리에게 절대
못 해 주지 않으셨어!

못 해 주지
않았다고?

134

못 해 주지
않았다는 게
뭔데?

밥은 먹여 주는 거?
짚으로 된 잠자리나마
주는 거?

노예로
만들어 준 거?

뭘 고맙게
여겨야 할까?

그 인간이 네 생각만큼
좋은 사람이었으면
네 신분에 대해 한마디
언질이라도 있었겠지.

네가 투노가
된다 했을 때도
진심 어린 한마디쯤
해 줬을 거야.

랑화의 죽음에
책임도 졌을 거고

지전이라도
마님 몰래
한 장 정도는
태워 줬겠지.

주인들은 그냥
우리를 자산으로
관리하는 거야.

매일 아침
달걀을 낳아 주는
닭에게 하는 거랑
똑같다고.

백번 양보해서 설령
네가 은혜를 입었다고
생각하더라도

그건 네가 받은 은혜지,
내 몫의 은혜는 아니니
강요하지 마.

네가 그렇게
순진하니까
내가—

스우가
더 독해지는
거라고?

스우가 한 짓이란 건
부정하지 않는구나.

이제 알았어.

—어떻게,

기억난다.

어떻게 나한테 그렇게 말할 수 있어?

나도 예전에 같은 말을 한 적이 있었어.

이건 나야.

……

─우,

그때,

나단은 뒤돌아서
나를 두고
가 버렸지.

혹시나 돌아올까 계속 멍하니 혼자 서 있었는데…

안 왔지만.

이제 뚝!!

응….

아까는 저도 순간적으로 흥분해서 화냈던 거니까, 잊어버려요. 응?

저기!

하룻밤 묵기에 적당한 곳을 찾았으니 이쪽으로 오시죠!!

계속 불렀는데 못 들으셔서….

아, 미안해요. 지금 갈게요….

아마 사냥꾼들이 잠깐 쉬어 가려고 만든 집 같아요.

관리가 잘된 건 아니지만 하루 정도는 묵을 만한 것 같습니다.

그럼 두 분은 안에서 쉬세요.

주변에 마라도 있어 불침번을 서야 할 것 같으니 제가 밖에서 불을 피워 놓고 있겠습니다.

아니, 그냥 안에서 같이 있어도 괜찮아요.

아니요, 귀하신 분 같은데 어찌 저 같은 평민이 같은 방을 쓰겠습니까.

일행 분께서도 계속 기분이 언짢으신 듯한데 행여 제가 심기라도 거스를까 두렵습니다.

응? 이제 괜찮은데….

144

자, 됐다.
이 정도면
배기지 않고
잘 거예요.

날이 밝으면
다시 출발하죠.

마른 짚단이
좀 있어서
다행이네.

그럼 나는 이쪽,
사하라 님은
그쪽.

오늘은 이만
푹 자고
내일 다시…

왜, 왜
또 울어요?!

뚝
뚝뚝
뚝

스우랑…

한, 한 번도
떨어져 잔 적 없는데
스우가 가라고
하니까는…

히끅…

알았어!
이쪽으로 와요!!

다루기 힘들어
미치겠네. 진짜!

145

5화

잘 자네⋯.

자는 것만 보면
완전히 어린 모습
그대로 같은데.

낮에만
해도

이 남자가
우는 걸
봤을 때에는

심장이
내려앉는
기분이었다.

하지만
동시에
소름 끼쳤어.

'동화'된다는 거…

설마 나한테만
해당되는 게
아닌 건가?

149

만약
그런 거라면,
나는…

스우.

잠이 안 와?

…더워서요.
사하라 님이
들러붙으니까 그렇죠.
팔도 저리고.

팔이 저려?
내 팔로 할까?

그냥 각자
베개를 베면
되잖아요.

싫어.

…예전에 말했던
동화된다는 거,

사하라 님도
저랑
비슷해지는 걸까요?

스우,
그렇게 느꼈어?!
그래서 좋았어?!

아니…
왜 그렇게 좋아해요?
좋은 일도 아닌데.

왜 좋은 일이 아니지?!
서로 영향을 주고받는 건
좋은 거야.

151

영향도
영향 나름이지.

왜냐하면…

호국룡쯤 되면
상대를 좀
가리라고요.

…왜?

나는
내가 싫어요.

껑

그러니까
사하라 님이
나와 비슷해지지
않았으면 좋겠어요.

하하.

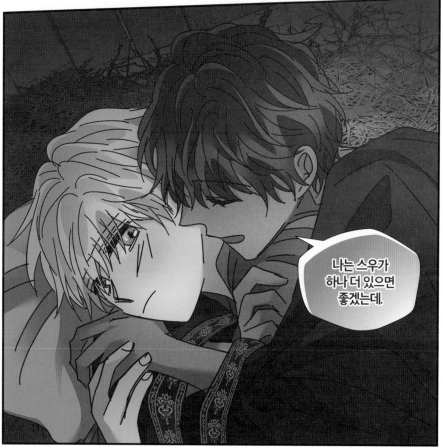

나는 스우가
하나 더 있으면
좋겠는데.

하나는
머리끝부터 발끝까지
먹어 치울 거야.

스우가
내 안에 완전히
흡수되면…

�ㅁㅁ…

그럼
알 수 있을 것 같아.
지금…
이 느낌이 뭔지.

스우가
하나 더 생기면….

ㄲ뜰…

바깥이
고요해서

두근

두근

두근

스우는 이게
뭔지 알아?

심장 소리가
크게 들린다.

그걸 내가
어떻게···

앗—

거짓말.

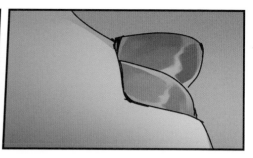

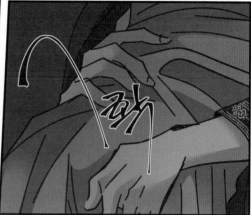

아···.

스우는
아는 것 같아.

알 것 같지만
말하지 않는다.

또다시
착각이었다고
부정당하면

으음—
어디 보자…

그때는 정말
가슴이 아플 것
같으니까.

심장이 되게
느리게 뛰네요.
그래야
오래 산다던데.
사하라 님,
한 백 년 넘게 사는 거
아니에요?

백 년…?

짧은 거 아니야…?
인간도
백 년은 살잖아.

그리고
고생을 많이 하면
빨리 죽는대요.

그것도 운 좋은
소수나 그렇지
평균은
그 한참 아래죠.

저는 그럼
앞으로 이십 년 정도
남았으려나.

이십 년은
너무 짧아!!!

그래요?
저는 나름대로
길다고 생각하는데.

지금까지
지나온 시간만큼
또 나아가야 한다고
생각하면…

스우가
원하는 게
뭔데?

…그냥,

가끔 생각만 해도
힘이 빠져요.
많은 걸 바라는 것도
아닌데….

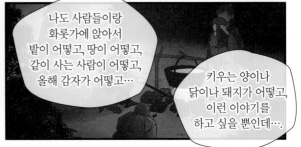

나도 사람들이랑
화롯가에 앉아서
밭이 어떻고, 땅이 어떻고,
같이 사는 사람이 어떻고,
올해 감자가 어떻고…

키우는 양이나
닭이나 돼지가 어떻고,
이런 이야기를
하고 싶을 뿐인데….

왜 항상
제대로 되는 게
없는 건지….

그 정도면
정말 충분할 것
같은데….

스우는 언제나
당장 제 손에 없는 걸
원하는 것 같거든.

내 생각에 스우는
자기 바람대로
화롯가에 앉아도
또 바라는 게
생길 거야.

그럴까?

하지만
나단의 말처럼
내가 원한다
생각했던 모든 게
전부 착각이고,

어쩌면
정말…

정말로 모두 다
꿈이었을지도
모르겠다는
생각이 든다.

당장 눈앞에서
만져지는 것만이
현실 같아.

…그냥
잘 거예요?

과거에는

날이 밝으면
맞거나
죽게 될지,

어디 팔려 갈지,
무슨 모욕이나
수치를 겪을지,

하아….

어쨌든 좋은 일이
일어나지 않을 게
확실한 와중에도

굳이 굳이
이 가축우리
안에서
눈이 맞아

앗….

기어코 그 짓을
하겠다는 게
이해가 안 갔다.

이 상황에서도
저럴 마음이 드나?

어른이 되면
다 저러는 건가?

아….

그러니까
짐승 같은
노예 신세를 면하지
못하는 거라며

만만한 이들에게
분노를 퍼부었지.

하지만
이제 와서
생각해 보면…

뭔가…
어떤 부조리가
반복되면

지금 당장
눈앞의 일만이
중요해지는 것
같기도 하다.

예를 들면
이렇다.

아무 생각 하고 싶지 않다.

혼자는 무섭다.

으응….

그냥 따뜻하게 자고 싶다.

지금 내가 그런 것 같아.

이제 됐으니까….

정말…

죽을 만큼
쓸쓸하다.

죽을 만큼···.

자,

잠깐 잠깐
잠깐 잠깐
잠깐 잠깐!!

아야!!

잠깐!!

비켜 봐!
비켜 봐!!

아야!
그만 때려,
스우!!

나와 보라고!!

…거짓말이지?

뭐가?

뭐긴 뭐야….

잠깐
가늠(?) 좀
해 볼게요.

그러니까
뭐를!

장어를 잡듯
접근하는 스우

앗♡

166

죄송합니다.
졸려서 오늘은 이만
그냥 잘게요~.

뭐?!
이대로는 싫어!
스우!!

스우가 이렇게
만들었잖아!!

그건 내가
만든 게(?) 아니에요.
원래 그렇게
생겨 먹은 거(?)지.

누가 그 인간이랑
한통속(?)
아니랄까 봐….

그 인간?

그건 내가 수련이랑
비슷하다는 소리야?

아야야야!
아파요, 아파요!!

일부러
인간형을 만들 때
외모적인 특징은
수련하고 절대 닮지 않게
만들었는데.

그치만 인간이라고는
가까이서 본 게
수련밖에 없어서
기본적인 토대는
비슷할지도 모르겠네…

내가 어떻게
한낱 인간을
닮아 가겠어?

안 돼!
그 인간도 닮으면
안 돼요!

당연하지,
스우.

육신은
껍데기에 불과해.

뭐, 어쨌든
수련이랑도 했으니
나랑 하는 것도
문제없어.

어차피 눈을 가리고
몸만 만지면 스우는
지금의 나랑 수련을
구분하지도 못할걸.

다른 게 있다면
육체의 경험
정도일까.

169

나는
처음이야.

그리고
처음엔 원래 다
아픈 거라니까
이해해 줘.

쪽♡

아니,
그쪽이 처음인데
왜 내가 아파야….

아…
아, 악…!

윽….

악!!!

웃…
수련은 대체
여기에 어떻게…

잠깐!!
알았어, 알았어요
잠깐잠깐잠깐
ㄴㅁㅇㅏㅓㅁㄴ!!

맞는 거 같은데
이상하네….

맞는데 틀렸어!(?)
맞는데 틀렸다고!!

제가…

제가
어떻게 하는지
알아요.

죽일 생각이
아니라면 비켜 봐요.
내가 할 테니까….

그래?
그럼 빨리.

죽이고 싶다.

이놈의 입을
꿰매든지
해야지….

웃….

사하라 님은
움… 움직이지 마세요.
내가 됐다고
할 때까지….

…스우.

응….

수련한테도
이렇게 해 준 적
있어?

내가… 웃,
그거 물어볼 줄
알았다….

툭…

해 준 적
있냐고.

쓱

악!
누르지 마세요!!

6화

드…

드디어
마을이다….

작은 마을이지만
객잔도 운영하니,
잠깐 지내시기엔
나쁘지 않을 겁니다.

라한 전역에
기우제로 기현상이
닥쳤다고 했는데…

외진 마을인데도
생각보다 피해가
큰 것 같지 않네.

피해 수복에
바로 나설 만큼의
여유도 있어 보이고.

아직 제도에서
가까운 건가?

저, 그럼.

마을까지 안내해 드렸으니 저는 이만 가 보겠습니다.

부디 무탈한 여정 되시기를….

앗, 잠깐. 물어보고 싶은 게ㅡ

바깥까지 들렸구나….

이 근방에 대해 좀 물어보려고 했더니.

아ㅡ 드디어 갔다, 저 인간 놈.

후다닥

오늘도 안 가면 죽일까 했어.

눈치가 없어.

스우는 나 말고
누가 옆에 있는 거
싫어하는데.

뿔 뿔

…진짜
눈치가 없는 게
누구일까요?

쿵쾅

자, 사하라 님.
다시 확인할게요.

내가
마을에 도착하면
뭐라고 했죠?

상관없는 인간을
죽이면 안 된다고…

그리고 또?

스우가
해도 된다는
말만 한다고…

또.

스우가 돈을
달라고 하면
준다고….

좋아!

또 멋대로
눈에 띄게 굴면
나 혼자
다닐 거예요.

······

스우,
너무 귀여워♡

악!

우리
언제 방에 가?
또 좋은 거
가르쳐 주라.

가르치긴
뭘 가르쳐!

어제처럼
또 해 줘, 응?

잠깐,
거기 두 사람.

네?

둘이 일행인가?
피난민은
신분을 증명하고
명단을 작성해야 해.

게다가 하나는
이국인이군.

윽, 무심코
대답해 버렸다.

이국인은
좀 더 엄격하게
신분을 살피라는
명이 있었다.

명이라
함은….

어느 쪽의
명이지?

그 애처럼
날 알아보지는
못하는 걸 보니

수배는
비밀리에
진행 중이구나.

그 수배서가
붙지는 않은 것 같아
다행이다.

증명이 어렵다면
일단 검문소로
같이 가 줘야겠다.

아,
그게….

무슨
소리지?

우리는 방금
검문을 마쳤잖아.

아….

갔다….
그런 것도 할 수 있군요.

응.
죽지 않게 조절하는 게 조금 귀찮지만.

예,
실례 많았습니다.

뭐, 일단 여기가 어딘지,
앞으로 어디로 가야 할지
정보를 좀 모아 볼까요.

좋아!

이런 산구석인데도
꽤 괜찮은 신관이
몇 상주하는 것처럼
보이네요.

상단은…
비 때문에
발이 묶인 것
같아요.

흘끔…

184

사람이 많은 객잔 같은 곳에서 아예 자리를 잡고 라한 상황을 좀 파악하는 게 좋겠어요.

좋아!!

어라.

분명히 사하라 님과 눈이 마주친 거 같은데.

죽이는 줄….

착각한 거 아니야? 뭐가 그딴 식으로 허술해?

막 발견했다면서 바로 들키냐?

허술하다니… 이 감각 공유가 얼마나 멀미 나는데.

사흘 내내 울렁거려서 아무것도 못 먹었다고

전하…!!

아가…! 괜찮니?!

내상은 외상에 비해 회복이 더디니 당분간은 움직이지 않도록 하는 게 좋을 것이다.

또, 잠들고 나면 일부를 기억하지 못할 수 있는데

열병의 후유증이니 놀랄 것 없다.

감… 감사합니다, 태자 전하….

정말 감사드립니다…! 이 하해와 같은 은혜를 어찌 보답해야 할지….

어서 나아 모친을 기쁘게 해 드리거라.

태자 전하께서 직접 순행을 나오시다니 이게 꿈인지 생신지….

어쩜 저렇게 덕이 높으실까.

이렇게 별 볼 일 없는 성까지 행차하여 병자를 치료해 주시다니….

어린 시절 궁주께서 직접 가르치셨다는데 신성력이 무척 높으신가 봐.

저걸 봐. 태자 전하의 발치로 풀이….

아까 신관 나리도 라한에 곧 용신께서 강림하실 거라 하지 않았소.

치유술을 쓸 수 없는 자는 성의 수복을 도와라!

태자 전하, 언제 회궁하실 예정이신지요? 제 모친도 병색이….

신관들에게 병색이 깊은 병자부터 차례로 치유하게끔 말해 두었다.

수도를 정화한 뒤 며칠이고 머물게 할 테니 걱정할 것 없다.

태자 전하!
만수무강하십시오!

끼익...

딱!

주인은 일하는데
개들은 놀고
앉아 있구나.

전하!!
오늘 제가 엮은
울타리 수만 이백이
넘을 것입니다!

아까
자경단 훈련까지
공짜로
시켜 줬다고요!

까악…
까악…

수

척

188

그보다 전하! 드디어 희건의 까마귀에 스우 님과 사하라 님이 포착되었습니다!

뭐 하냐, 빨리 지금 어디서 뭘 하고 계시는지 말씀드려!

지금 막 발견한지라 정확한 위치는 아직입니다.

지도를 살펴보면 마을 몇 개로 대략 후보를 추릴 수 있을 겁니다.

빨리 스우 상태나 어떤지 말해! 호국룡과 잘 지내시는지, 아픈 덴 없는지!

으으음… 전하….

너무 불쾌히 여기지 마십시오

스우 님께서는 지금 호국룡과….

─홀.

도박에
빠져 계십니다.

4─4─1.
소(小).

우와아아!!
사하라 님
대단해!!

스우도 참ㅡ!
나 대단한 거
이제 알았어?

또 맞혔다!
예지력이라도
있는 건가?!

…뭐?

…계속
볼까요?

엄청 따고
계십니다….

하아~.

도박 같은 거 정말, 정말 한심하게 생각했는데…

이기니까 이렇게 재밌는 거였다니….

재밌었어?

당연하죠!! 그동안의 인생과 가치관이 모두 부정당한 느낌이랄까….

뭐, 스우가 재밌었으면 나도 좋아.

…사하라 님은 재미없었어요?

으응, 어차피 뭐가 나올지는 전부 정해져 있으니까.

속임수가 있었다는 뜻이에요?

아니, 그냥 말 그대로야.

이를테면 이 금화.

지금부터 스우가 세 번 던지면 모두 앞면이 나올 거야.

해 볼래?

뭐든 스우가
말해 봐.

갑자기

가슴이
불안하게
울렁거린다.

싫어요.
저는 그런 운은
없으니까.

그래?
아쉽네~.

어쨌든 오늘은
사하라 님 덕에
이만큼이나
땄으니까!

오늘만큼은
재밌게 놀면서
맛있는 거라도
먹을까요!

와~!!

목욕할 수 있게
좋은 방도 잡고!

와~!
그리고?

194

그리고 또
뭐 하고 싶어?

그거 다 해도
돈이 한참 남잖아.

음… 그럼…
옷 같은 걸
좀 살까요….
신발이나…?

마침
이 마을에 상단이
머무는 중인 듯하고…
난민처럼 보이는 것도
좀 그렇고….

아! 그럼
내가 고를래!

…그리고
또?

스우,
어때?

좀 더 바닥이 푹신푹신한 게 스우한테는 더 좋은가? 불편해?

불편하진 않은데….

이런 신발은 닳기도 너무 빨리 닳고 저한테는 사치예요!

산 하나 넘으면 너덜너덜해진다고요.

양탄자가
사방팔방 깔려 있는
부잣집에서나
일 년 신겠네.

?

닳으면
또 사면 되잖아.

이런 옷감도
사하라 님이나
어울리지.

헉!
진짜 어울려.

그럼 내 건
스우가 골라 줘.

스우랑
똑같은 게 좋아.

역시 됐어요.
괜히 헛돈만
쓰는 것 같고.

왜?! 엄청
잘 어울리는데?!

당장
꼭 필요한 것도
아니고.

확

사하라 님 것만 살까?! 저기, 더 좋은 물건은 없나요?

어머나, 손님! 안쪽 방으로 모실까요?

어서 오십시오. 묵고 가시나요?

2층 중간 방은 은화 두 닢, 끝 방의 특실은 금화 세 닢인데 어느 쪽으로 준비해 드릴까요?

2… 2층 중간 방으로….

네, 알겠습니다. 식사는 바로 방으로 올려다 드릴까요?

마침 어제 상단이 도착해서 저희 객잔의 자랑인 잉어찜이 오늘 아침부터 정상적으로 준비되어 있답니다!

또, 꿀을 바른 다과와 과일도 준비해 드릴 수 있는데 함께 맛보시겠어요?

그….

주문하신 계화주와
고기만두입니다.
내일 아침은
달걀죽 두 그릇으로
준비해 드리면 되죠?
네….
그럼,
또 필요한 게 있으면
불러 주십시오.
…스우는 돈을
왜 가지고 싶어
하는 거야?
크윽,
물어볼 줄
알았어요!

그치만 갑자기 이런 큰돈이 생겨도…

어디다 써야 할지도 모르겠고….

좋을 대로 쓰라고 해도, 전… 뭔가 특별히 좋아하는 것도 없단 말이에요.

아하하.

앞으로 내가 잔뜩 찾아 줄게.

스우가 뭘 좋아하는지.

일단 스우는 나랑 뽀뽀하는 걸 진짜 좋아하고,

옴짝달싹 못 하게 꽉~ 안아 주는 걸 진짜, 진짜 좋아해.

그런 적 없거든요?!

그리고 또….

꾸당!

201

스우, 잘 거면
옮겨 줄게.
불편해 보여.

나 괜찮은데….

스우는
술 약하구나.

아니야,
나 안 약해.
이렇게 풀어져서
마신 거는
처음이라서….

그래?
스우는
술 세구나.

202

물
갖다줄까?

응.

차가운 물?

응….

그럼 잠깐
있어—

…물 가지러
가지 마?

응.
무서워….

꽉
안아 줘….

하하.

스우, 역시 이거
좋아한다니까.

一룬.

화룬….

배고파요

아야야야!! 뭐 하는 거예요?!

뭔가가 스우의 가죽을 쓰고 있을지도 모른다는 생각이 들어서….

하여튼 진짜 의심은 많아 가지고!! 그렇게 살면 좋아요?!

보시다시피
이렇게 불행하죠.

그게 밥도
안 먹여 줍니까?

이것도 먹고
저것도 먹고
그런 거죠.

이것도?

…아무튼,
당신을
먹게 해 줄 거죠?

뭐가 주식이고,
뭐가 별식인지
물어봐도 되나요?

시끄러워요.
물게요.

어련하시겠습니까….

내가 배부를 때까지
상처 낫게
하지 말아요.

…스우.

웃….

손이 왜 이렇게
찬가요?

왜냐하면….

왜냐하면….

역시 꿈인가.

별….

어.

사하라 님이다.

스우,
왜 나갔어?

응? 그냥…
술 깨려고.

그래서
술 깼어?

네!

술 냄새….

그리고
이거 샀어요!!

뭔데?

짜잔~!!
위패라는 거예요!

나단 거…!

안에 신관이
명정까지 직접
써 준 거라서
금화를 세 닢이나
줬어요!

향나무에
옻칠도 해서
엄청 고급스럽죠?!

위령제도 물어봤는데
너무 비싸고 복잡해서
그것까진 관뒀어요.

흐응….

…왜요?
내가 돈 너무
많이 썼어요?

그거 향나무
아니야.

…내가 또
잘못 말했어?

아니야.
잘 썼어.

근데…

명정도
신관이 쓴 게
아닌 거 같은데?
신성력이 전혀
안 느껴져.

풉….

아하하!!

맞아요.
아마 나를 속이려고
했던 거 같아요.

근데…

215

먹을 만한
인간이 있나
해서….

7화

하아….

벌써
아침인가.

사하라 님,
잘 잤….

없네.

달깍

위패…?
이런 게 왜
여기 있지?

…어제 그렇게
취했나?

너무 빨리 마셨나.
기억이 전부
띄엄띄엄….

좋은 아침입니다,
손님!

저기, 혹시
제 일행 못 보셨―

아!
그 귀공자분
말씀이시죠.

바깥 자리에
앉아 계시니
나가 보세요.

차를 한 잔 더
갖다드릴게요.

네….

귀공자.

머리도
지끈거려….

아.

생각해 보면 저 남자가 홀로인 모습을 보는 건 처음 같다.

항상 귀찮을 정도로 내 옆에만 착 달라붙어 있으니까.

혼자 있을 땐 저렇게

모든 걸 차갑게 바라보는구나.

스우.

일어났어?
잘 잔 거 같네.

저야 뭐…
사하라 님은요?

뭔가 평소보다
나른해 보여서.

아아…
어제 새벽에
이 한 몸 갈아
스우 몸보신시켜
주느라고….

무, 무슨
소리예요!!

그냥 해 본
말이야.

스우,
배는 안 고프지?

아침이라 아직
입맛은 없어요.

혼자 뭐 하고
있었어요?

음—

사람 관찰.

사람 관찰?

스우가 어제
친절한 사람이
좋다고 그랬거든.

친절한 게
정확히 뭔지
공부 중이었어.

227

그래서 뭔지 알았어요?

아직 정확히 감은 안 오지만.

대충 어떻게 해야 하는지 정도는 알겠어.

그런 거 공부 안 해도, 사하라 님은 저한테 충분히 친절하신데요.

인간들의 친절과 내가 스우를 아끼는 걸 같은 선상에 두면 안 돼.

그거랑 달라.

누군가 나처럼 스우를 생각한다고 하면…

나는 그 인간을 죽일 거야.

분명히
거짓말일 테니까.

뭐?!
불여우?!

자네 지금 그게
귀비마마께
할 소린가?!

쏴아앙!

자네야말로 어디서 감히 태자 전하의 정통성을 운운해?!

조용히 시킬까?

나라가 이 꼴이 됐는데 무슨 말을 못 해?!

쉿, 그냥 끼어들지 말아요.

지금 나라가 이 꼴이 난 건 다 귀비의 사술 때문 아닌가!

근본 없는 가짜 신관들을 모아서 기우제를 올리려다 천신의 분노를 산 게지!

헛소리! 소가가 관직에 올라 가장 먼저 세운 공이 함부로 그런 사술을 연구하는 자들을 소탕한 것일세!

콰쩔!

어휴, 시끄러워.

팍까닥

난리 이후로 싸움이 끊이질 않는다니까요.

어딜 가나 태자 전하 얘기, 귀비마마 얘기.

아... 네.

참고로 저는 태자 전하께서 제위에 오르시면 좋겠어요.

제 친척이 사는 성에 태자 전하께서 순행하러 오셨는데, 글쎄 그 미모가 말도 못 할 정도였다네요.

수,

순행이요?!

그 인간이... 아니 태자 전하께서 순행 중이시라구요?!

그럼요!! 덕분에 제도 근방은 비 피해가 적어요.

듣자 하니 전하께서는 신성력도 엄청나시대요.

어, 어느 쪽으로 순행 중이신지 아시나요?

그렇습니까….

아쉽지만 제도 동쪽부터래요. 여기와는 정반대죠.

그쪽은 비로 산이 무너져서 난리였나 봐요. 사람이 엄청 죽었대요.

참, 귀비마마께서도 사가인 소가의 고(庫)를 전부 열어 백성들을 구제 중이시라고 해요.

소가는 광업으로 쌓은 부가 어마어마하잖아요.

아… 그래요….

이상하다.

분명 황궁을
벗어났는데도

여전히 그들의
손아귀에 있는
기분이 들어.

스우.

소문이
사실이었구나.

창천 아가씨…
어떻게 여기에?

귀주 현령이
널 그렇게 예뻐해서
밤마다 별채로
불러낸다던데.

처음엔
믿지 않았거든…

그런데
성별이 모호해 보이는
그 시기의 어린애 자체를
좋아하는 것들이
있다더라고.

죽어 마땅한
쓰레기 같은
인간들이지.

너처럼 어리고
살도 없는 남자애를
어떻게 잡아먹을까
해서.

흐끅…

스우,
내가 도와줄까?

스우는
주인 나리를 죽여 버리고
나단과 주강으로
가고 싶지?

당시
소가는

라한 서남 지역에서
막 이름을
알리기 시작한
신흥 귀족 가문이었다.

가문 소유의
금광에서
마정석이
발견되면서

무시무시한
속도로
부를 쌓기
시작했던 가문.

그 부를 기반으로
제도로 진출하기 위해
중앙의 요직에 줄을 대고
공적을 쌓아 가던 무렵,

소창천은
그런 소가의
막내딸이었다.

'소가는
막내 아기씨의
즐거움을 위해서라면
무엇이든 한다.'

'좋은 것이라면
뭐든 가져다
바친다.'

그런 소문이
자자했다.

하지만
그 소문은
사실이 아니었다.

소가가
막내 아기씨에
바치는 게 아니라

막내 아기씨가
소가로 하여금
바치도록
만드는 것이다.

뜻은 일견
같아 보이지만
차이는 크다.

매, 매주 두 번
자시(子時)에
낯선 사람들이
별채로 와요, 와서…

성문…이 어떻고
비가 어떻고를
이야기해요

사술을 연구하다니 귀주 현령은 역심을 품었나 보네.

알려 줘서 고마워, 스우.

아버님께 잘 이야기해 볼게.

슥

하늘이 신관이나 황족 같은 고귀한 존재들에게만 비를 부르는 것을 허락하셨는데…

개나 소나 비를 내리면 라한의 질서가 흐트러지잖아.

그리고 이거,

선물이야.

퍽

욱…!

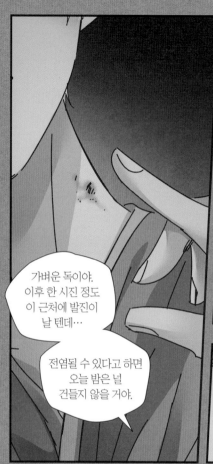

고
고맙습니다….

스우만 별채에
들락거리게 하는 게
이상했는데….

가벼운 독이야.
이후 한 시진 정도
이 근처에 발진이
날 텐데…

전염될 수 있다고 하면
오늘 밤은 널
건들지 않을 거야.

스우가 라한 말을
못 알아듣는다 생각해서
안심하고 욕구를 풀 수
있어서인가 봐.

아주 멍청해
보이지도,

그렇다고
아주 똑똑해
보이지도 않아야

그럼
오늘도 수고해,
스우.

살아남을 수
있어.

바닥이
보이지 않을 정도로
높고 좁은 길을…

아주 오랫동안
걷는 기분이야.

언젠가 반드시
떨어질 걸
알면서도…

계속해서
나아가는 것 외엔
할 수 있는 게 없는
그런 기분…

그냥
이쯤에서
그만할까.

스우.

왜 이렇게
오래 걸려?
할망구 저러다
늙어 죽겠어.

어라…?

사하라 님…?

왜 그래?
갑자기 멍하니.

어디 아파?
열은 없는데.

에고… 허리야.
아퍼? 동생이
아픈 거요?

뭐지…?
내가 언제
여기에….

할멈 건
내가 바로
챙겨 줄게.

스우가
원래 오락가락해.
오늘은 가게 문
일찍 닫아야겠다.

나이도 먹었으면서
저번처럼 성질 급하게
펄펄 우리지 말고
무조건 중탕해.

알어, 알어.
동생이나 좀
잘 보살피구려~.

왜 아퍼?
젊은 게 그렇게
툭하면 아파서
어떻게 해.

그럭저럭
잘 굴러간다 생각하면
금방 이런단 말이지.

역시 먹는 게
부실해서는
한계가 있나 봐.

성장기라서 그런가?
아, 이것도
얼마 안 남았다.

자, 스우.
아— 해.

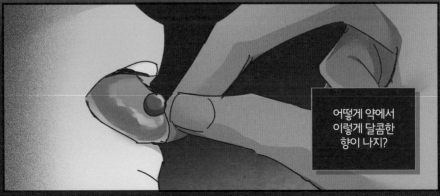

〈용이 비를 내리는 나라〉 3부. 2권에 계속

1

초판 발행 2023년 8월 31일

글/그림 썸머

펴낸이 이왕호
본부장 곽혜은
편집팀장 장혜경
책임편집 구유희
표지 디자인 최은아
본문 디자인 SONBOMCOMICS 이다혜
타이틀 디자인 크리에이티브그룹 디헌

국제업무 박진해 김수지 전은지 유자영 박이서 남궁명일
온라인 마케팅 박선혜 김경태 박서희
영업 조은걸
관리 채영은
물류 최준혁

펴낸곳 (주)디앤씨웹툰비즈
출판등록 2020년 12월 9일 제25100-2020-000093호
주소 서울시 구로구 디지털로26길 123 지플러스타워 1305~8호 (08390)
대표전화 (02)853-0360 **팩스** (02)853-0361
전자우편 book@dncwebtoonbiz.com
블로그 blog.naver.com/dncent

ISBN 979-11-6777-129-2 (07810)
　　　　979-11-6777-127-8 (set)

* 잘못된 책은 구입처에서 바꿔 드립니다.